KB005927

사랑시
행복구
설렘동

사랑시 행복구 설렘동

2020년 10월 30일 초판 1쇄 발행
2020년 10월 30일 초판 1쇄 인쇄

지은이 | 고담 변승희

인쇄 | 아레스트 (s-lin@hanmail.net)

펴낸이 | 이장우
펴낸곳 | 꿈공장 플러스
출판등록 | 제 406-2017-000160호
주소 | 서울시 성북구 보국문로 16가길 43-20 꿈공장빌딩 1층
전화 | 010-4679-2734
팩스 | 031-624-4527
이메일 | ceo@dreambooks.kr
홈페이지 | www.dreambooks.kr
인스타그램 | @dreambooks.ceo

잘못 만든 책은 구입하신 서점에서 바꾸어 드립니다.

꿈공장+ 출판사는 모든 작가님들의 꿈을 응원합니다.
꿈공장+ 출판사는 꿈을 포기하지 않는 당신 곁에 늘 함께하겠습니다.

ISBN | 979-11-89129-73-6

정 가 | 12,000원

사랑시
행복구
설렘동

마음 하나, 마음 둘, 마음 셋

사랑이 메아리치면

상념의 시간

자연이 머물다 간 자리

세월을 거쳐 온 사람

헌시

시인의
말

살면서 느낀 마음 한 조각, 어떤 모습일까요?
우리는 사는 동안 누군가를 믿고 진심으로 사랑하면서
수많은 계절과 마주합니다.
땅 위의 별 '반딧불'과 충혈된 노을처럼
자연이 주는 선물은 우리의 마음을 어루만집니다.
아무렇지 않게 흘러가는 세상에서 우리는 사랑하고,
이별하고, 또 그리워하며 행복에 빠져듭니다.
그리고 그 찰나의 행복에 설레어 위안받습니다.
깊은 시름으로 이끈 상심의 편린들,
행복했던 순간, 소중했던 시간.
그 모든 것은 견딜 수 있는 마음이었지요.
마음 둘 곳 없는 하루하루를 사는 것 같지만
잘 지켜내고 있잖아요. 우리.
이 글의 행간으로 마음 한 잔 나누며
밤새 뒤척이지 않기로 해요.

2020.8월 장마철 어느 날
고담 변승희

마음 하나,

마음 둘,

마음 셋

마음결

감정과 생각
기억이 깃들어

갖고 싶고
뺏고 싶고
지우고 싶은 마음은

고요하거나 담담하다가
격랑이 일면 소용돌이칩니다

그림자가 본 모습을 따르듯
마음은 결에 따라 모습을 만들죠

마음 한잔 합시다

미생

부산한 아침
내 한 몸 챙기기도 바쁘다

한바탕 전장 같은 시간이 지나
대문 밖으로 튕겨져 나오면

내 맘 같지 않은 일투성이고
말이 안 통하는 일 천지다

신경 쓰이는 일도 쉽게 꺼내지 못하고
스스로 화를 푸는 일에 지쳐간다

오르막이 있으면 내리막이 있듯
힘들 때도 한때겠지 위안하며 버텨봅니다

버겁지 않은 삶이 어디 있을까요

그러려니 해요 우리

어차피 인생은 밑도 끝도 없으니까

마음 나이테

고민을 따라 짙어졌다
마음 비가 심할 땐 파문이 일었고
눈물이 매말라 옹이가 됐다

한바탕 웃음과 한 움큼의 우울
한 되 박 열병은 세포분열 하여
나이테로 패였다

멀미나는 날
나이테는

얼룩으로 패일까
영예로 패일까

바가지

카드를 긁으면 세금 내지만
바가지 긁는 건 면세다

면세 한도도 없다

바가지 총량제로 마음을 다스려야 한다

바가지는 마음의 풍경이니까

나도 모르는 진심

마음에 귀 기울여봐
마음은 소금이자 빛이어서
우리가 살아 있음을 알려줘

때론 너무 아파 죽을 것 같다가도
때론 너무 좋아 미칠 것도 같지

미치고 환장하고 팔짝 뛰기도 해
누군가는 2단 옆차기도 하더군

그렇지만 알아둬

진심은 절대 곁눈질 하지 않는다는 걸
그리고 대놓고 표현해야 통한다는 것도

그런데

나도 모르게 튀어나오는

진심은

술에 있을까 눈물에 있을까?

마음 어귀

길 어귀마다 서 있는 이정표
네 마음 어귀에도 좀 세워두지

길섶에 핀 자국과 스치는 공기가
당신을 태워옵니다

그리움에 취해
여기까지 와버렸네요

길 어귀에 두고 간
그대 마음의 여운을 따라
속절없이 걸어요

당신에게로 가는 길을
잃고 싶지 않아서

마음재난안전본부에서
알려 드립니다

마음 1번지
내 마음은

위험 금지구역입니다

느닷없이 끼어들지 마세요
안길운행 금지니까요

갓길운행은 자유랍니다

잠깐

백마 전용도로에 들어와
함부로 졸지 말아요

졸음 쉼터 폐쇄됐으니까요

U턴 구역은
백마 전용입니다

시인의 고독

노을을 들쳐 업고
언덕을 오르면

어스름한 그림자가 이불처럼 감긴다

잔잔히 내리는 별빛에
마음 출렁이고

솟구친 달빛은
어둠 속에 박힌다

내가 가진 건
지친 몸뚱어리뿐

시를 쓰고
시처럼 살고 싶은 작자는

어디에다 뉘일까

편지

편지봉투에 그려질
파란 하늘 비행기

편지지에 그려질
둥실둥실 뭉게구름

우표에 그려질
대롱대롱 은행잎

내 마음 언덕은
오늘도 백일장이건만

빨간 우체통은
칼바람만 빨아댄다

입에 풀칠도 못 하는
편지봉투 너머로

까만 글자들이
송골송골 카톡에 스며든다

네 잎 클로버 책갈피는 간데없고
이모티콘만 까부는구나

눈물의 습성

눈시울이 꿈틀대더니

오아시스를 터트린 뺨에
오솔길이 난다

닭똥 같은 눈물은
입을 대신해 거래를 하고

마음 밖으로
튀어나온 녀석은 거래가 끝나자
재빨리 입 시울로 파고든다

때때로
목젖이 드러나는 하품의
주책에 튕겨져 나오면

엄지와 검지 등짝에 달라붙어
조용히 숨는다

울림

내 마음을 비워야
누군가의 마음이 들어오고

내 가슴이 떨려야
누군가의 가슴을 적십니다

이정표

길 어귀마다 서 있는 이정표
네 마음 어귀에도 좀 세워두지

길섶에 핀
민들레 홀씨에 이끌리듯

네 마음속이 안식인 것 같아서

어쩌다 울적했고
어쩌다 속삭였다

하지만
문득문득 솟구치는
이 간절함이 이정표더라

언제부터 내 마음에 새워두었니

내 마음에

차단기 없다고
훅 들어왔으면
썩 나가주세요

슬며시 들어왔다면
살며시 나가 주시고요

여긴 거주자 우선 주차구역이니까요

오래 머물면 압류됩니다
내 마음엔 주차 면이 하나밖에 없어요

아무나 들어와
오래 머물게 할 수는 없지 않겠어요

이젠
그 하나가 들어올 수 있게
인식기를 세워야겠어요

제가 몰라보지 않게

입영편지

부름을 받은 날
그 어떤 부름보다 무겁다
불러도 대답 없던 넌
부름 앞에 섰다

나라에 청춘을 저당 잡혀
억지 이별하는 날

여느 날보다 일찍 깨어난 까마중은
아마도 마지막 집 잠을 설쳤나 보다

입영시간이 조여 오고
시간 앞에 초연하던 넌

뭔가 모를 단단함으로
집 나설 채비를 한다

나랏 밥그릇이 쌓이고
베레모가 어울리는 어느 날

당당히 우리 앞에
다시 설테지

훈련병
잘 다녀오오

가족은 내가 지킬 테니

군인이 된 아들

가정통신문이 입영통지서로 바뀐 날
아들임을 실감했다

탄생의 기쁨에서
애틋한 사랑으로
넉넉한 행복으로 이끌 더니
진한 부성애를 깨운다

아버지인 걸 잊지 말라고

입영식이 다가올 때까지 종잡을 수 없던 마음이

“아빠 잘 다녀올게” 외마디와 함께
나를 품은 아들의 품에서 그만 흐트러지고 만다

점잔 빼던 코끝이 찡해왔다

집 안 대장이
골목대장이
장병이 되어 떠났다

가족을 지키는 나보다 더 큰 걸 지키려고

장병이 된 군영의 첫날밤

이 밤은 아빠가 지켜줄 터이니
긴장 풀고 곤잠 자려무나

염려 말라는 너의 눈빛이 사무치게 미덥구나

아우성치는 사서함

허공을 맴도는 잔소리에
사서함 빗장이 열렸다

잔소리꾼과 곰신의 목 놓은 소리글에
사서함이 촉촉이 젖어들고
더 캠프에는 눈총이 가득하다

쑤셔 넣는 소리글에
사서함은 토악질이고

쑤셔대는 집배원은

곰신의 전령사일까
잔소리의 파수꾼일까

마음 둘 곳 없는
소리함만 아우성이다

"그냥 잘만 있어다오!"

사랑이 메아리치면

눈길

자꾸만 눈길이 가는 사람
나의 시선을 잡아끄는지 그가 알까

시선이 가까워지자 콩닥콩닥
지진 난 심장이 달팽이관을 자극한다

성가시던 그의 실루엣이 메신저가 되다니
무심결에 시선이 마주치면 심장이 멎을 것 같다

"왜 자꾸 째려보세요?"

가만히 살피며 한쪽 입술을 지그시 깨문다

눈길이 모아진 그에게 사랑을 숨겨 놓았다

그의 사랑은 내 눈길 위에 스며들 수 있을까

너
참

너 참
예쁘다
오늘도

너 참
멋있다
오늘도

첫사랑이 되지 않게

짝사랑하는 법은 어렵지 않아요
그냥 이끌리면 돼요
많이 아플 거예요
또 많이 설레 일 거고요

그렇게 롤러코스터를 타다 보면 익숙해지다가
나를 알게 돼요

누구한테 끌리고 어떤 스타일을 좋아하는지 알게 되
중요한 경험이니까요

꼭 해봐요 너무 아프지는 않게

남들이 뭐라는 게 뭐 그리 중요해요
우리 짝사랑 한 번 해봐요

첫사랑이 되지 않게

한 번 만

짝사랑 계정

갖고 싶다

향기로워서도
예뻐서도 아니다

그저 이 가슴 속에
꿈틀대니까

네 심장을 흔들 순 없지만
그래도 포기할 순 없잖아

가끔은 봐주는 것 같아서

다른 곳을 보는 너에게
하염없이 빠져든다

곁눈질이 바쁘다

사랑 참

사랑방 주인공

사랑하거나 말거나
고작 남는 건 추억 아니면 상처뿐

시작한 이유는 딱 한 가지였는데
끝난 이유는 수백, 수천 가지

빠져들 때와
결별할 땐
자신을 너무나 모른다

여태 한 사랑이
영화보다 더 드라마틱 했을까

이 사랑에선 내가 주인공이었을까
이렇게 오래 기억되는 걸 보면

카톡에 사랑이 메아리치면

톡하고 던져 놓은
숱한 흔적들

먼저 연락한 게 누군지
언제 확인했는지

어떡하나 두고 본
순간순간들

층층시하
얼룩진 마음 잔상들

가두리 양식장이 따로 없구나

소통 방이
채팅 방이 되던

그때부터

금이 가버린 사랑

밑진 사랑

딱 한 번의 미소에

푹 빠져든 여심

눈치 빠른 남자는
슬며시
입꼬리를 감춘다

아낌없이 줄 만큼
저장도 안 되었건만

그거 아니?

밑지곤 못 사는 게
사랑인걸

사랑의 저편

싹을 틔우고
몰두해온 사랑은
그렇게 시리더이다

마음이
종잡을 수 없을 때에야
덫에 걸려버린 걸 알았소

벌어진 틈 사이로
파고든 우정

덫이 아닌 덕이 되어온 친구

너 참 좋아

미련 때문에

사랑을 잃은 초라함보다
더 못 견디겠는 건

버텨왔던 순간이 떠오를 때마다
끝없이 너를 바라는 것이었다

또 누굴 마음에 담는 게
지레 겁부터 나는 건

떨쳐버리지 못한 조각들
버릴 수 없는, 버려지지 않는 기억이
사무치기 때문이다

별이 된 첫사랑

우리는 한때
누군가의 별이었다

추억이 소환되는 가을날
뒹구는 낙엽 위로 그 별도 도르르 뒹군다

하늘은 두 별이 맞닿는 걸 끝내 외면했고
우리는 별 바라기가 되었다

유난히 반짝이던 별은 수호천사가 되어
문득문득 아련히 젖어오고

다른 별이 반짝이던 마음이 애매해졌다

그렇게 이별이 닿다

차가운 눈빛
냉정한 말투

하늘도 슬퍼
구름만 둥둥

잊힌 미소
그리운 보조개

달라진 마음
궁금한 마음

되뇌는 반문
잡고픈 간절

열어진 기억
비우는 사랑

하나 되는 사랑, 비익조

눈과 날개가 하나뿐인 너
고립되었구나

기대어 날갯짓 할 옆 지기가 없구나

함께 해온 날갯짓이 그리운 거니
함께 보던 옆 지기가 그리운 거니

이별이 고립인 줄 몰랐구나

함께 여야 더 멀리 보고 날 수 있었어
더 아껴주지 그랬어
하늘이 영원한 안식처가 되었을 텐데

혼자서는 절대 날 수 없는 너
불필요한 자존심 퍼즐에 갇혀
한 발짝도 못 떼는구나

이제 또 누구랑
날개 걸고 맹세할래

그렇게 잘 맞는 짝이 또 있을까

유혹

나무는 쉽사리 자신을 드러내지 않는다
가지를 구부리고 잎으로 촘촘히 덮는다
어떻게든 숨긴다

의심 많은 새가 올라타고
휘감는 걸 좋아하는 뱀들의 놀이터가 된다

休(휴)

그 밑에서 슬그머니 팔베개하는 너

너도 지금 사랑이구나

이 죽일 놈의 사랑

사랑받는 사람은 사랑하고 싶어 안달

그 사람 마음이 자기와 달라
상처받을 걱정도 안 하면서

새벽까지 잠 못 자서 상처 좀 받아봐

나처럼

외사랑

마음이 안으로만 자라던 곳
그곳은 지옥이었다

연탄불

달아오른 밑불이
스르르 태우듯

네 미소가
찌르르 번져와

빨간 속 내보이며
좋아라 타올랐다

그렇게 우린
따라 뜨거웠으니

함부로 쪼개지 마라

사랑할 때

시간을 내어서?
시간이 나서?

그대는 어떨 때 만나나요

기쁠 때
슬플 때
시간을 내어요

부디

사랑해서
섭섭하거나 외롭지 말아요 우리!

별 따라기

저 별 따다 줄까?

사랑이 싹트던 그때

다름에 이끌리고
다름에 속삭이더니

이별이 유혹하던 그때
다름이 현실이 되더라

별은 언제나 그 자리에 있건만

따다 주겠다던 저 별은 따지 않고
이별을 만지작 거리는 구나

이별예감

나처럼 너도
언젠가는 뜨거워질까?

네가 뜨거워지면
그때도 네 옆에
내가 있을까?

아니,
넌 나에게 뜨거워지지 않을 것 같아
어떡하든

아무래도 우린
사랑의 온도가 다른 것 같다

카톡 반응이 나와 너무 달라

러브타임

방금 한 사랑은
갓 지은 밥

오래된 사랑은
보온 밥

먹기도 그렇고
버리기도 아깝고

사랑은 매일
갓 지을 수 없다

사랑꽃

같은 해가 뜨고
같은 달이 뜨고
같은 별이 쏟아져

꽃으로 피워 주었다

같은 물이 흐르고
같은 바람이 불고
같은 우박이 쏟아져

모난 사랑을 주물러 주었다

눈 속을 걸으며

짓밟히지 않는 발자국이
어디 있으랴 만은

짓밟히지 않은 첫 발자국이길
그 하얀 마음이 이끈다

뽀드득뽀드득
짓밟으며 따르는 게
당신일까 싶어 뒤돌아보지 못하고

따르던 발자국 소리가 사라질까 봐
곤두세운 귓바퀴가 저려옵니다

어둠이 내리기까지
그날 하루
수천 번
당신은 내 마음을 다녀갔습니다

눈사람 곁에

눈이 내리는 건
누군가의 걱정을 덮어주기 위해서예요

소복소복 쌓인 눈을
굴리고 굴려
그대 닮은 코쟁이를 만듭니다

숱 덩이 같은 눈에
홍당무를 닮은 코
반달 미소를 하고
털모자를 눌러쓴 하얀 사람

그 사람 위로
평온이 찾아듭니다

밤새 홀로 선
흰 사람 곁에

그 사람도 왔을까
하염없이 동구 밖만 살핍니다

눈 같은 사람

차가운 눈발이 옷깃 사이로 파고듭니다

스며든 차가운 느낌은 숨죽였던
내 세포들을 깨우죠

눈썹 위로 떨어지던 눈꽃이
얼굴을 흠뻑 적시는 사이

휘몰아치는 눈보라에
설국이 실감 납니다

눈꽃이 눈부셔
그 오랜 세월에도
질리지 않나 봅니다

사람이 눈과 같았으면 좋겠습니다

상념의 시간

꿈 살이

당신의 꿈을 응원한다는 말

안 해줬으면 좋겠어요
안 그래도 넘치게 강요받고 있으니까요

희생을 부채질하잖아요

꿈이 모두의 인생이 되는 건
아니니까요

부재중 전화

어쩌다
우연히 전화벨이 울렸으면 좋겠어요
딱 한 번만 울린 뒤 황급히 꺼져도 좋아요

당신의 부재중 전화에 온종일 설레고 싶어요
잊지 않고 있다는 그 마음을 느끼고 싶으니까

그럼 나도 지우지 못한 번호를 찾아
잊지 않고 있다는 메시지를
통화 버튼에 심어 보낼 텐데

당신의 통화 연결 음은 그대로일까

당신이 무심코 받기 전에 나도 한 번만 눌러볼래요

나만 잊지 않고 있다는 건 좀 서글프잖아요
당신 마음에 영원히 부재중인 나 일까 봐

그때는

그땐 몰랐다
내가 그토록 젊은지

뭐든 대충 해도 꿇릴 게 없었거든

세월 지나 한이 된다
꿇리지는 않았어도 더 빛날 수는 있었을 텐데

20대의 나를 너무 홀대해서 미안하다

그러나
다시 돌아간다 한들 뭐가 바뀔까

그래도 손해 보면서까지 맞춰주는 건 안 할 것 같다

내가 소중한 걸 알았으니까

어쩌다보니

더 특별한 관계가 되길 바라다
어느새 익숙한 견딤에 새벽과 친해진다

이윽고
아침이 오면 사는 게 퍽퍽해
그 마음에 마침표를 찍는다

다시 밤이 찾아들면 아쉬움에 한숨짓고
미어지는 가슴을 움켜쥔 채 칼잠에 든다

마침표는 도돌이표가 되어
억겁의 굴레에 빠져들고
인연은 그렇게 우연으로 멀어져간다

어쩌면 우연을 필연으로 믿거나 믿고 싶었을지 모른다
우연한 순간을 그냥 우연치 않게 받아들인 굴레였다

어쩌면 지금

어제와 내일이 같을 순 없다
후회와 환희는 지금이 분수령

어쩌면 지금이
내 삶의 결정적 순간일지 모른다

내일의 등대가 될 오늘 지금
어떤 망상에 빠져있나

하늘은 모두에게 똑같은 시간을 주고
사소한 결정들이 모여 내 삶이 된다

삶이 내 앞에 통째로 놓인 채
소모되길 기다리고 있다면
죽 쑤어 개나 줘버릴 수는 없지 않은가!

어느 카페에 혼자 있는 당신
부드러운 향을 음미하면서 달콤한 휴식을 취하고 있을
고단한 내일을 걱정하고 있을까

적어도
인생이 어느 순간부터
전장이 되었을지 깨닫지 못함이 안타까워서야 되겠는가

찰나의 선택

"내가 옳다! 네가 그르다!"
시작은 늘 그랬다

서로 부딪치다 깊은 한숨을 몰아쉬는 순간
오만 정 다 떨어진다

그리고

돌아선 먹먹한 마음에
"내가 심했나?" 싶을 때
침 한 번 꼴깍 삼키고

마뜩잖아도 받아줘라.
한숨은 목젖 깊숙이 쑤셔 넣고

첫 만남에 설레어
옷깃을 가다듬던 거울 앞 당신을 떠올리며

다시 거울 앞에 설 너를 위해

나를 위하여

자존감은
지키는 게 아니라 지켜주는 거다

내가 중요하듯 상대 또한 중요하니까

자존감이 지나치면
자만심이 되고 배려심이 결여된다

남을 배려하는 마음에서부터
자존감은 자라난다

귀신같은 머리끈

자꾸만 사라진다

아무리 많아도
하나씩 하나씩 사라진다
포기하고 새로 사 오면
귀신처럼 나타난다

자꾸만 잊는다
아무리 옆에 있어도

나 하나에 만족하지 못하고
늘 곁눈질한다

한눈팔지 말라고 언제까지
숨바꼭질해야 할까

여
자

하루에 해야 할 대화를 다 하지 못하면
잠을 자도 자는 게 아니다

복 타령

"새해 복 많이 받으세요~"

년 말은 몸이 축나고
년 초는 마음 축난다

이래저래 축난다

복 챙기자! 원 없이 줄 때
복 짓자! 복 타령 할 때

누가 아니?
진짜 내 복이 될지

다짐

콤플렉스는 없다
핑계도 없다

공감되지 않으면
공감받지 못한다

모두의 감동은
귀 기울일 때
싹 튼다

흔한 일상

월요일: 시작하고 싶지 않은데 떠밀리는 날
화요일: 어차피 시작된 이튿날
수요일: 반이나 남았다고 슬퍼하기도,
반이나 버텼다고 기뻐하기도 애매한 날
목요일: 이렇게 살아도 되나 싶은 날
금요일: 수고한 내게 특별한 걸 먹여 불태우고 싶은 날
토요일: 역마살이 있나 싶은 날
일요일: 시체놀이 하며 천국과 지옥을 오가는 날

돼지저금통

푼돈에 집착하지만
목돈 털리고

금은동이 지폐로 바뀌는 조화에
지분 주장만 난무한다

비밀을 아는 넌
난감한지 애먼 꼬리를 말고

뜯길 배딱지는
거기까지인 걸 안다

함정

꼬리에 꼬리를 무는 생각

무슨 걱정이 그리도 많은지

오늘은 또 어떤 꼬리가 물릴까

문득 드는 생각

아침마다 눈이 충혈되는 걸 보니

내가 내 인생을 훔쳐보고 있었구나

살자 좀

하고 싶은 말만 하고
듣고 싶은 말만 듣고

잊고 싶은 것만 잊고
기억하고 싶은 것만 기억하는 것은

좀 비워야 살 수 있을 것 같아서

스며드는 루틴

우리는 나름의 습관이 있다
인생이라는 미로를 헤매다 얻은 훈장 같은 것

때로는 조롱거리가 되고 가면을 쓴다
긍정적이다가 부정적이다가
마음이 온전하기 어렵다

괜찮다
그저 잘 살기 위한 연습의 과정이니까

세상이 퍽퍽한 것이지 내 마음이 퍽퍽한 것은 아니다

갑갑할 일도 아니다
나로 태어났으니 그것은 나의 세계가 되었다

스무 살

살면서 가장 되고 싶었던 건 스무 살

이제 하늘의 명을 안다는 지천명이지만
천지 분간을 못한다

그래서일까
여전히 스무 살이 되고 싶다

무얼 못해봤을까

한번 해봐요

해봐야 하지 않겠어요

할 수 없다는 생각이 들게
내버려 두지 말아요

그러면 시작도 못 할 테니까

할 수 있다고 믿어봐요

할 수 있는 사람으로
훈련되니까

글 헤이는 밤

글 헤는 밤
글 무덤을 설쳐대지만
하나도 잡히지 않는다

출구 없는 글 미로에
글 찬스도 쓸 수 없다

감정은 내 몫이니까

쌍둥이가 있다면 찬스가 될까
역시 빽사리 날 게 뻔하다

정신 줄 놓은 건 나라서

운명이었으면

소소히 흩어지는
의미 없는 시선들

어쩌다
우연히
우연을 필연이라 믿고 싶던 날

그 한 번의 떨림이 뭐라고
같은 시간 같은 곳에서
다시 떨고 싶어 안달이다

그대라는 사람은
모든 세상에 있지 않았다
오직 내 세상에만

꽂혀버린 이 마음
어쩌란 말이냐

모든 순간
널 알고 있는 누군가가 사랑해

자연이 머물다 간 자리

무지개

시냇물 흘러 흘러
바다를 적시고

내 마음 흘러 흘러
하늘을 적시네

살랑살랑
구름 되어 노니는
너에게 닿고 싶어

무지개를 띄워
너울너울 건너노라니

바람이 널 타고 불어와
네 숨결을 전한다

꽃 바람 닮은
휘파람 닮은

네가 나의 무지개더라

가지련다

꽃처럼 화려할 수는 없어도

꽃망울을 머금은 뽀송뽀송한 솜털로
사랑받아 보았다

눈길을 끌어 보았다

꽃처럼 피어날 수는 없어도
꽃을 피울 수는 있다

가시가 없어 쉽사리 꺾일지언정
꽃에게 수액을 빨릴지언정

떨어져 초라해지는 꽃보다는
다시 새 살이 돋는 가지 이려오

노을

하루 종일 온 세상을 비추다
충혈되었구나

지상에 잠시 머무는 동안
뜨거운 태양으로
누군가의 희망이었으니

마지막까지 몸을 불살라
순한 불덩이로 세상과 이별하는구나

화려하게

반딧불이

땅 위에서 만난 별
황록빛 잔상을 허공에 날리며 유영한다

별똥별처럼 영적인 대화를 하듯 마음을 파고든다
희미하던 사랑도 깜빡깜빡 신호를 보낸다

이슬 먹는 반딧불이처럼
내 영혼은 어느새 순수한 빛을 따르고

나부대던 빛의 발광은 억겁의 시간을 주관하며
전생과 연을 맺는다

어둠 속 도드라지는 불빛
심금을 울리며 무진장한 그리움을 밝힌다

서리

내일 아침에는 서리가 내렸으면 좋겠다
조금 더 식을 수 있게

이 아픔이 더 빨리
무뎌질 수 있게

아득한 하늘

너무 무거워서
너무 버거워서
다 내려놓고 싶은데
세상은 아무렇지 않은 듯 흘러간다

새까맣게 탄 마음이
아득한 하늘에 잠긴다

하루

마음 둘 곳 없는
하루가 10년처럼 길구나

지렛대에 걸린 낙조는
하루의 끝에 매달려
다시 만날 먼동을 기억한다

벚나무의 위로

온 세상을 환하게 밝히며
봄이 왔음을 알리던 그때

내게 지치지 말라고
아직 포기하지 말라고
위안을 주더니

꽃이 떨어지고 관심이 멀어질 즈음
다시 동그랗고 어여쁜 열매를 품었구나

버찌로 이번엔 또 어떤 위안을 주려고

그만두고 싶은 나와
버텨야 하는 내 뒷모습이
너무 아파 보였니?

벚아!

우리는 어떤 보상을 해야 하니?

뭉게구름

비 갠 하늘의 뭉게구름
얼마나 시렸으면 하늘은 저토록 푸를까

평화가 찾아온 하늘 위로
뭉게뭉게 구름 라떼 흩날리고

천만번을 보아도
싫증 나지 않을 하늘에
내 마음도 물들었으면

그렇게 구름 라떼는
물 빠진 호수처럼 메마른 마음에
덫을 놓았다

산마루 연가

사부작사부작 걸어요
풀 내음 꽃 내음 콧등에 떨어지고

쫑알쫑알 지지배배
산새들 합창이 메아리치노라니

산마루 언덕길에
옛사람의 숨결이 아직 남아
가쁜 숨이 잦아든다

재회를 기다리며
또 한걸음 떼노라니

추억이 발끝에 끌려
쉬이 떼지 못하는구려

속살을 드러낸 포구

비릿한 갯냄새가 코끝을 자극하고
재두루미는 느릿느릿 갈지자를 그려내며
구름도 더디게 바람에 일렁인다

해풍은 넓은 바다의 속살을 드러내고
잿빛 진한 개펄 위에
함지 바구니 외롭다

스무 대는 여명은
개펄의 꿈을 기웃거리고
갯골 사이로 비집고 나온
세발낙지와 농게는
개펄의 허전함을 달랜다

개펄에 떨어져
하얗게 부서지는 햇살은

방황하는 마음을
온순히 돌려세운다

이내 집채만 한 파도가 밀려들며
성난 울음을 터트린다

도둑비

내 마음에 안개비로 내리던 너
그땐 너가 오는지 알지 못했다

이윽고

이슬비로 여우비로
도둑 비로 오는가 싶더니
장대비로 들어와 소용돌이쳤다

온통 너로 젖어있던 마음에
흠뻑 쏟아졌다

가슴에 맺힌 빗방울은
오로지 한길로만 흘렀다

너에게로

그래서
비 오는 날엔
무작정 걸어야 했다

빗소리

타닥타닥

빗소리에 어슴푸레 잠을 설친다
유리창도 난데없는 소낙비에 소스라치고

한밤 내내 타닥타닥

수줍은 사랑에 젖어서일까
이별이 아쉬워서일까

마술에 걸린 듯 빗소리는
너의 목소리로 휘감긴다

그리움이 깊어질 즈음
이불 속에 파묻은 눈에
눈물이 배어든다

조르륵 조르륵
빗소리가 잦아들면
너의 목소리도 아련히 물러나고

긴긴밤에 몸서리친다

하늘아 이 비를 멈춰다오

태풍전야

태풍 전야의 노을이 가장 아름답듯
입영 전야의 까까머리가 가장 빛나고
이별 전야의 여자가 가장 예쁘더라

태풍이 닥치면 세상이 뒤집히고
입영이 닥치면 서열이 뒤집히고
이별이 닥치면 머리가 뒤집히더라

그래도

태풍이 가장 아름다운 노을을 선물해 주듯
입영은 가장 듬직한 전우를 선물해주고
이별은 가장 아름다운 연인을 선물해 줄 거니까

괜찮다

빗방울 튕기면

떨어진 손바닥에
그리움이 고이고
기억이 번진다

선명했던 시간이
솟구치는 빗방울에 튕기면

나란했던 속삭임에
울고 만다

힘없이 떨궈져
뒤집힌 우산 속으로
슬픔이 튕긴다

별의 별

바라보는 것만으로도 위안이 되는 별은
때때로 우리의 마음을 엿본다

편안할 때는
유독 반짝이는 별로 유혹하고

외로울 때는
흐릿한 별로 숨어 버린다

저 별 중 하나는
내 별이 분명한데
있다 없다 한다

내 별은
늘 내 곁에 있어 주면 좋겠다

포기하지 말라고
내일은 더 나은 하루가 될 수 있을 거라고
속삭여주면서

나무아래서

나무는
쉽사리 자신을 드러내지 않는다

가지를 구부리고
잎으로 촘촘히 덮는다

어떻게든 숨긴다

의심 많은 새가 올라타고
호기심 많은 강아지가 폴짝 뛸 때

슬그머니 팔베개를 하는 너
너도 지금 사랑이구나

미세먼지의 역습

문을 잠그지 말아요
지그시 봄바람이 들어올 수 있게

문을 열지 말아요
슬며시 미세먼지가 들어올 수 없게

제 색을 잃은 진달래, 개나리가
향을 잃은 매화, 목련 더러
철없다 한다

철 잃은 전령사가 헛헛한 건
시류인가 역습인가

문지방이 구슬프다

바람이려오

정녕 그대는 바람인가요
차라리 스쳐 지나가지

민망해하진 말아요
어차피 혼자 시작한 거니까

바람길 따라가다가 생각나면
한 번쯤 돌아봐 줄래요

달맞이꽃으로 맞을게요

바람불어 좋은 날

바람이 부는 건 쉬어가라는 거에요
꽃잎을 떨구는 것도
새순을 돋기 위함이고요

바람은 그렇게
새로운 시작을 태워 온답니다

바람 불어 좋은 날
바람 따라 흘러보아요

더 멋진 나로 다듬어 줄 거예요

웅크리지 말고
당당히 가슴을 펴요
내 님도 따라올 거니까요

고인 눈물도 훔쳐 줄 겁니다

님 계신 곳에

선들선들
곤한 잠결 파고들 때

흔들흔들
나부끼는 나뭇잎이 기웃댄다

산들산들
님 계신 곳에

치명적인 내 향기 전해다오

나풀나풀
바람 가는데 구름 가듯
그대 가는데 나도 가려오

가을이 오면

가을이 온다
사랑하기 좋은 계절
이쯤에서 너도 왔으면 좋겠다

세월을 거쳐 온 삶

깡소주

빈 잔에

따른 그늘에 잠기고
따른 햇살에 부풀고
따른 희망에 출렁인다

때때로 슬픔을 따르면
목메어 운다

왜 자꾸 감정을 보채니
그냥은 마주할 수 없는 거니

진정 내 마음을 우려내야만 하는 거니

살짝이 옵서예

외로움이 깊으면
내가 누구인지 조금은 알게 되고

고통이 깊으면
사랑이 무엇인지 조금은 알게 되지

미움이 깊으면
차라리 용서가 편함을 알게 되고

행복은 또 어때?
슬픔이 깊어 봐야
아~이런 것도 행복일 수 있구나 알게 되지

살짝살짝 온다
모든 것은

그런 사람

사랑의 방정식은 무수해요
정답이 없을 뿐

사람 사이에 공식은 없죠
공식이 없기에 설레거든요

문득문득 헤이즐넛 향이 그리울 때
당신도 그리워집니다

혼술 하면 그립다가
내 마음을 씻어주는 사람

당신은 그런 사람입니다

인연

당신도 나와 같을 거라고
그렇게 믿었는데

내가 만든 인연이었더라

운명이라고 여긴 순간을
붙잡지 않았더라면

그 추억 속에
나만 있지는 않았을 텐데

그대가 나의 전부였던 순간처럼
내가 당신의 일부였던 순간이

녹슬지 않았으면 좋겠어요

자연인

주변을 떠나 숲과 친해지는
자연인에 빠져있다

이따금 주변이 낯설다.

소유를 껴안기 위한 온갖 사람들의 질시를 피해서
도심을 벗어난 변두리에 홀연히 있고 싶다

조용히 떠나는 여행이랄까
여행 같지만, 여행이 아닌
산으로의 나들이에 자꾸만 끌린다

무엇이 자꾸 산으로 이끄는 걸까
띵한 두통은 태초부터 그런 듯
어느 새 나의 일부가 되었다

지독한 고독이 좋아서?
자유로운 영혼이어서?

아마도 나는 위로받고 싶은 건 아닐까

하얀 밤

하얗다
그 밤이 내내

네가 없는 시간이 늘어가면서
너를 매어두던 밤 지기는
매일 밤과 싸운다

함께 가고 싶던 곳의
너의 허상은
왜 그리 온화한지

떠나 다오 깨끗이
나의 밤으로부터

꼭두새벽도 데리고

돈타령

결국은 돈이더라
성격 탓으로 포장하면 속이 좀 편한 돈

근사한 저녁 한 끼, 분위기 좋은 카페
처음엔 가랑비였다

커플 통장마저 바닥이 보이면
그루터기마냥 홀로 서는 계절과 맞닥뜨린다
말 못 하는 눈치만 속절없다

혼 밥, 혼 술과 빈대가 익숙해지는 사이
코끝에 묻은 너의 향기는 흩어져간다

희망이자, 미래이자, 꿈이자, 생명이던
돈이
사랑 잃고, 사람 잃고, 싸우는 독이 된다

잘 버텨 결혼 문턱에 가면
견우와 직녀가 되는 현실

돈줄이 말라버리면 숨줄도 말라 간다

가난엔
사랑도 국가도 없더라

꼰대 덕후

어른이고 싶다가
어른인가 했더니
어느새 꼰대더라

빼박이라니

아직 덕질 할 게 많은데

돈 맛

번 돈은 내 돈이 아니고
빌려준 돈도 내 돈이 아니다

오로지 쓴 돈이 내 돈이다

기부하는 사람은
주머니를 떠난 돈에 미련 갖지 않는다
주머니를 떠난 돈은
내가 주인일 수 없기 때문이다

가족을 위해
친구를 위해
사랑을 위해
아낌없이 쓴 게 내 돈이다

피같이 번 돈은
써야 제맛이다

비상구

격하게 무거운 밤
기댈 수 있는 어깨가 필요해

뒤엉킨 정신 줄
비상구는 어디에…

신호등

밀리는 도로 위로
졸음과 피로가 쏟아지는 오늘

빨강 신호등이 너무나 반갑다
연기가 자욱한 가슴이 쉬어갈 수 있으니까

녹색등이 연달아 켜지면
쉬지 않고 달릴 자신이 없다

채찍질 당하는 것 같아서

차선을 넘나드는 자동차가
피로를 부채질하며 새까만 가슴을 태운다

어제의 내 모습이었다니

나도 어제는
누군가의 가슴을 태웠겠구나

졸음

맥 풀린 눈동자
이탈하는 영혼에

멱살 잡힌 볼펜은
그래프를 그리고

침을 쏟아내는
아가리의 끈적임에
흠칫하지만

잠귀의 마술에 걸려
연신 턱이 늘어지고

되새김하던 아구통은
난데없는 싸대기에

구정물을 튕기는구나

미용실 유목민

미용실 유목민 이제 그만하고 싶다
솜씨가 딱 좋은 곳을 찾았다 싶으면
여지없이 방랑자로 돌려세운다

분명히 그 디자이너가 맞는데
어쩌다 한 번도 아니고 연거푸 조져 놓는다

다시 유목민으로 떠도는 처량한 신세
중이 제 머리 못 깎는 건 저주인 걸까

어떻게 지켜온 자존심인데
진정 계속 의탁할 매직 디자이너는 없단 말인가

아니면 돌려막기에 걸린 회전문 손님인 걸까
맛있다는 아메리카노나 아이스티 안 줘도 된다

제발 한결같게만 해다오

하늘바라기

하늘을 바라보는 건
마음이 무거워서가 아닙니다
그저
위로받고 싶어서입니다

때때로 우리는
하늘의 마음을 짐작할 뿐입니다

하늘이시여
세풍에 휘청이는 하늘바라기도
하늘의 하루를 즐길 수 있게 해 주세요

마음이 하늘이 되게

별바라기

그리움을 좇기 위함도
당신의 향기에 이끌려서도 아닙니다

무작정 나선 길섶에서 맞닥뜨린 당신의 흔적에
아스라이 선회하는 마음이 위태롭기만 합니다

야생화는 이름을 잃었습니다
이름을 붙여주던 당신이 떠나자
그 길 위에 숨었습니다

세월에 떠밀려 살다 보니
잊혔던 별이 보입니다

나의 별입니다

이제라도 별 볼 일 있어 다행입니다

꿈 사리

빠져드는가 싶더니
찰나에 튕겨져 버린다

다시 빠져들고 싶지만
그저 아련하기만 한 건
너였기에 더 간절해서

어떡하면
널 다시 만날 수 있을까

쉽사리 잠이 들지 않는 건
이별 예감인 걸까

꿈인 너

숨

우리는 매일 매일 숨을 부여잡고 살고 있습니다
편하거나 가쁜 차이일 뿐

산등성에는 고개가 넘실대고
산마루에는 쉼이 있습니다

쓴맛 뒤엔 단맛이 따라오기 마련이죠

인생은 스무고개와 같습니다
그때까지 하악하악 숨을 쉬어요

숨

숨은 나의 소중한 벗입니다

썸 달력

한 장 한 장 넘어가고
뜯겨져 나갈 때마다
희망과 아쉬움이더니

24시간 365일
가장 많이 눈 맞추며
나의 역사가 되었구나

올해 나와의 썸은 어땠니?
매번 적히고 뜯기면서
일정 비서 하느라 참 애썼다

영원히 계속될 그 날들은
다시 동그라미로 옮겨둘게

내년에도 멋지게 썸타자 우리
좋아서 턱이 얼얼하도록

저무는 시작

날숨 한 번
크게 쉬었을 뿐인데
벌써 한 해의 끄트머리에 섰네요

쉼 없이 어찌 왔나 싶고
영문 모를 일에 머리 긁적이며
기막혀 헛기침만 쏟아냈어요

동무들이 해넘이 앞두고
행복을 비는 사이

해는 멈칫멈칫
달은 슬금슬금
따라붙네요

해님과 달님은 올해도
마주 보지 못하고 저무는 게 안타까워

눈물 머금은 노을을 흩뿌리고
저물어도 볼 수 있게 휘영청 빛을 내는가 봅니다

새해에도 거르지 않고
해님과 달님 중매인이 되게 해 주세요

올해도 수고한 당신
그대가 멋진 이유입니다

코로나19

틈을 노리는 너 땜에
때론 너무 힘들어 죽을 것 같지만
넌 내가 누군지 가르쳐주지

아무리 가둬도
아무리 침투해도
우린 이겨 낼 거야

우리의 고통에 귀 기울여봐
우린 끈질기지만
넌 끈기가 없잖아

코로나19야 너를 통해 배운다
넌 그저 숙제일 뿐이야

조금 겪어보니 알겠더라
이제 곧 실마리가 풀릴 거야

죽어보기 전까지는
너도 사는 게 사는 게 아닐 테지

얼른 숨을 곳을 찾는 게 좋을 거야
너무 늦지 않게

헌시

오알 패밀리

오뚝이 같이 살라 하여
하루에 한 번씩 마음 주문을 걸다가
수원에 닿았다

어차피 걸어야 할 길
하루에도 수십 번 마음 주문을 걸었다
"괜찮아 잘할 수 있어!"

마이크 앞에, 카메라 앞에 서면
꾸깃꾸깃 구겨졌던 자존감이 희번덕였다

소통요정 오알 수영은
늘 오늘 하루도 알차게 살자며 시그널을 준다

언제나 돌아온다던 꿈 바라기 현정
가령 그대도 시류에 떠밀려 동번서번 하면서도
마음 한 켠에 비워둔 여백이 자박자박하도록
얼렁뚱땅 숨겨둔 꽁냥을 타고 넘실대는구려

정녕 오알패밀리의 훈풍에 시처럼 살아지이다

독수리 6남매

한 배 타고 난 우리
뱃사공과 그 배 떠나고
나그네 되어 흩어져 삽니다

뱃사공과 뱃님의 기일이 되면
다시 만나 뱃놀이를 떠올리죠

울타리가 사라진 세상이지만
뱃사공과 뱃님이 주신 우애 하나로
세월을 견디어 냅니다

"우리가 남이가?"
언니로, 형으로, 동생으로 살면서
서로의 곁에 있어 주어 든든합니다

우리의 든든한 마음이 날아
하늘에 계신 당신께 갔으면 좋겠습니다

자야, 숙아, 희야들아
덕분에 세상 살만하다

두근두근 내 사랑

슬며시 품을 파고들면
팔베개를 내어줍니다
왠지 모를 서글픔이 전해집니다.

남편 노릇 제대로 못 해
꿈마다 가위눌리는 당신을 보면
마음이 한없이 짠합니다

당신만을 위한 언약을 한지
어느덧 스물세 번의 여름이 지났네요
오늘도 그 어느 날이 되겠지만
새삼 언약의 무게가 느껴집니다

늘어가는 새치에 한탄하는 당신
그저 미안하고 안타까울 뿐이라오

이제 그 가물한 언약을 되뇌어 보려니
가슴이 두근거리는구려

내 아내가, 우리 아이의 엄마가 되어 주어 고맙소
당신은 항상 내 편이었거늘
남편이던 지난날이 미어지는 걸 보니
이제서야 조금 철이 드나 보오

지난 후회 있거들랑
못다 한 사랑으로 채워드리이다

가난뱅이가 벼락부자야 되겠소만
소풍 나온 인생 외롭지 않게
든든한 뒷배가 되어드리이다

여보, 함께 살아주어 고맙소